KatieKazoo

KatieKazoo

Bruño

Para mis amigas de natación
Marie y Cathy.

Título original: *Get Lost!*,
publicado por primera vez por Grosset & Dunlap,
un sello de Penguin Group, EE UU

Juan Ignacio Luca de Tena, 15
28027-Madrid

Dirección Editorial: Trini Marull
Edición: Cristina González
Traducción: Begoña Oro y María Duque
Preimpresión: Pablo Pozuelo
Diseño de cubierta: Miguel Ángel Parreño

ISBN: 978-84-216-8041-4
D. legal: M-15.750-2008
Impreso en Brosmac, S. L.
Printed in Spain

Katie Kazoo

Peligro en el campamento

Bruño

2.ª edición

Texto de Nancy Krulik
Ilustraciones de John y Wendy

Capítulo 1

KATIE se agachó para darle un beso en la punta del hocico a su perro *Pimienta*, un cocker marrón y blanco.

—No te preocupes, *Pimienta* —le dijo—. No me voy para siempre. Solo serán tres días.

Pimienta olisqueó a Katie y le dio un lametón en la nariz.

Ella soltó un bostezo tremendo. Eran las siete y media de la mañana de un lunes. Normalmente, Katie se levantaba de la cama a esa hora. Pero ese día, no. Ese día, ya había desayunado, se había vestido y... ¡ya estaba en el colegio!

Katie bostezó de nuevo. Estaba cansadísima. No había pegado ojo en toda la noche por culpa de los nervios. ¡Estaba a punto de irse a un campamento escolar durante nada menos que tres días y dos noches!

En ese momento, un enorme autocar amarillo llegó al aparcamiento del colegio.

—¡Hurra! ¡Ya ha llegado el autocar! —gritó Manu, emocionado—. ¡Prepárate, campamento, allá vamos!

Todos los años, el curso de tercero al completo se iba tres días de campamento al aire libre, y los compañeros de Katie llevaban hablando sin parar de ello desde el primer día de clase. A la mayoría les entusiasmaba la idea, pero Katie estaba más bien nerviosa. ¡Nunca había pasado tanto tiempo fuera de casa!

Fox, su mejor amigo, apareció con su madre en el patio del colegio.

—Qué, Katie, ¿cómo van esos nervios? —le preguntó.

—Más bien fatal... —respondió ella, tragando saliva.

—¡Bah! Venga, ¡si va a ser genial! Yo estuve dos semanas de campamento el verano pasado... ¡y fueron los mejores días de mi vida!

Fox llevaba botas de montaña, una cantimplora, una mochila impermeable y un saco de dormir de camuflaje.

En cambio, Katie se había puesto sus deportivas de siempre, llevaba la ropa en una maleta birriosilla y, al lado del de Fox, su saco de dormir con dibujos de ositos parecía cosa de críos.

Su madre la abrazó muy fuerte:

—Te lo vas a pasar genial, Kat —ella siempre la llamaba así: Kat—. Además, solo son dos noches... Imagínate que es como una fiesta de pijamas, solo que un poco más larga.

Entonces señaló hacia el fondo del patio:

—¡Vaya, mira! ¡Por ahí viene Susi!

Susi era la otra mejor amiga de Katie y, al parecer, ella sí que se había preparado para una fiesta de pijamas larga de verdad... Arrastraba un enoooorme maletón rosa, llevaba un bolso de viaje al hombro ¡y su padre arrastraba otra bolsa a juego!

Katie corrió a ayudarla con el equipaje.

—¿Por qué llevas tantísimas cosas? —le preguntó mientras cargaba con el bolso (que, por cierto, pesaba un montón).

—Una chica tiene que estar preparada para todo… —le sonrió Susi mientras dejaba su equipaje junto al de Katie—. Tengo que llevar una cazadora por si hace frío de noche y unos pantalones cortos por si hace calor de día. Y, como comprenderás, ¡no puedo repetir modelito!

—¡Pero si nos vamos de campamento! —exclamó Fox—. ¡Lo normal es llevar lo justo!

—¡Es que llevo lo justo, listillo! —replicó Susi—. ¡Si ni siquiera me he traído el secador de pelo!

Katie soltó una risita. Por un lado, estaba muy nerviosa por lo del campamento, pero por otro, estaba contenta de que sus mejores amigos se encontraran allí, con ella. Los quería mucho a los dos, a pesar de que ellos no siempre se llevaban bien…

Kevin llegó corriendo.

—Eh, Katie, ¿has visto a Mac? —le preguntó—. Manu y yo tenemos que hablar con él de algo superimportante.

—Me parece que no ha llegado todavía —contestó Katie—. ¿Y qué es eso tan importante de lo que tenéis que hablar?

—Es un secreto… —fue la respuesta de Kevin—. Solo se lo contaremos a Mac.

Entonces, la señorita Ana apareció en el patio del colegio, aunque a Katie le costó reconocerla…

Normalmente, la profesora de 3.° A llevaba vestidos y tacones altísimos, jamás había un pelo fuera de sitio en su melena y se echaba medio bote de colonia cada día.

Pero, en esta ocasión, la señorita Ana parecía otra. Llevaba pantalones y zapatillas de deporte, un enorme sombrero de ala ancha le tapaba la melena y, lo peor de todo, ¡apestaba a loción antimosquitos!

—¡Uauuu! ¡Mirad a la señorita Ana! —exclamó Kevin—. ¿De qué va disfrazada?

Un hombre alto con barba y bigote se acercó a la profesora.

—Aquí tienes tu equipaje, cariño —le dijo—. Y a todo esto..., cuánto pesa esta maleta, ¿no? ¿Qué llevas dentro?

—Insecticidas antibichos con muchas patas, *sprays* antibichos voladores y lociones antibichos en general —respondió la señorita Ana—. Este año, ¡ni un solo bicho conseguirá acercarse a mí!

—¿Lo habéis oído? —susurró Kevin—. Ese hombre ha llamado «cariño» a la señorita Ana…

—Debe de ser su marido —comentó la madre de Katie a la madre de Fox—. Parece muy simpático, ¿verdad?

Katie se quedó boquiabierta. ¿El marido de la señorita Ana? ¿La señorita Ana tenía marido?

—Será mejor que nos vayamos —dijo la profesora, mirando nerviosamente su reloj.

Su marido sonrió.

—Nos vemos dentro de tres días —le dijo—. ¡Y no dejes que te piquen las chinches!

La señorita Ana abrió unos ojos como platos de puro susto.

—¡Ni me las nombres! —protestó antes de besar a su marido en la mejilla.

Los niños miraban a su profesora completamente alucinados.

—¡Muy bien, chicos, todo el mundo al autocar! —ordenó la señorita Ana a su clase—. No hay tiempo que perder.

Katie suspiró. Después de todo, la señorita Ana seguía siendo la misma de siempre, pese a llevar esas pintas…

—Bueno, cielo —le dijo su madre—: Será mejor que vayas subiendo al autocar.

—¿Te quedarás aquí con *Pimienta* hasta que nos vayamos? —le preguntó Katie, angustiada.

Su madre asintió con la cabeza:

—Pues claro, cariño.

Katie la abrazó con todas sus fuerzas, acarició otra vez a *Pimienta*, respiró hondo y se dirigió al autocar.

Pero antes de que pudiera subir, Manu empezó a gritar:

—¡Señorita Ana, no podemos marcharnos todavía! ¡Falta Mac!

Todos los chicos miraron a su alrededor.

¿Dónde se habría metido Mac?

Capítulo 2

—**¡Por *favor*,** señorita Ana, tenemos que esperar! —suplicó Manu mientras sus compañeros empezaban a subir al autocar—. ¡El campamento no sería lo mismo sin Mac!

—Aún falta un ratito hasta que esté cargado todo el equipaje —le tranquilizó la señorita Ana—. Seguro que Mac ya habrá llegado para entonces.

Katie encontró un sitio libre junto a la ventanilla en mitad del autobús, y Susi brincó al asiento de al lado.

—¿Crees que Mac aparecerá? —le preguntó Katie mientras se abrochaban los cinturones.

—No voy a echarle de menos si no viene... —respondió Susi—. ¡Mac siempre está contando chistes malos!

Katie frunció el ceño. A veces, Susi tenía un punto malvado, y eso no le gustaba. Además, a Katie le hacían gracia los chistes de Mac. Y también le caía bien él. Mac había sido el que le había puesto aquel mote tan *guay*: Katie Kazoo.

—Espero que no tengamos que pasarnos todo el día esperándole... —refunfuñó Fox mientras se sentaba junto a Katie y Susi, justo al otro lado del pasillo—. ¡Ya tengo ganas de llegar al campamento!

De pronto, la voz de Kevin resonó desde la parte trasera del autobús:

—¡Ahí está! ¡Date prisa, Mac! —le gritó por la ventanilla.

Pero Mac no se daba nada de prisa. De hecho, parecía como si su padre fuera arrastrándolo por el patio del colegio.

Y Mac tenía cara de todo menos de contento.

Por fin, su padre le obligó a subir al autobús y le dijo:

—Pásatelo muy bien, hijo.

—Lo dudo mucho —gruñó Mac.

Su padre suspiró:

—Solo son tres días en un campamento, Mac... ¡No te vas a la guerra!

Mac no contestó. Se limitó a avanzar hacia la parte trasera del autobús y a dejarse caer en un asiento junto a Manu y Kevin.

Kevin sonrió a su amigo:

—¡Me alegro de verte, Mac! —y enseguida se inclinó para susurrarle al oído—: Ni te imaginas la de cosas chulas que he metido de extranjis en la maleta. Bichos de plástico, chicles de guindilla megapicantes, un cojín tirapedos…

En condiciones normales, Mac se habría mostrado interesadísimo en todas esas cosas (especialmente en el cojín tirapedos), pero ese día, no.

Se limitó a quedarse sentado con los brazos cruzados y refunfuñó:

—Pues qué bien…

Kevin se quedó un poco sorprendido, pero enseguida volvió a la carga:

—Ya verás, Mac. ¡Nos lo vamos a pasar genial!

Entonces Mac negó con la cabeza y replicó:

—De eso nada. Esto de los campamentos es una chorrada.

—Pero ¿qué dices, Mac? —replicó Fox al instante—. ¡Si los campamentos son lo mejor de lo mejor! Y lo sé por experiencia, ¿eh? El verano pasado estuve dos semanas en uno y…

—… Y solo nos lo has contado un millón de veces, Fox… —resopló Susi.

—Pues a mí no me parece que sean lo mejor, para nada —insistió Mac—. ¿Quién quiere ir de campamento pudiendo ver tranquilamente la tele en tu casa y dormir en tu cama?

Cuando el autocar se puso en marcha, Katie observó a través de la ventanilla cómo su madre y *Pimienta* se iban haciendo más y más pequeñitos… hasta que dejó de verlos.

De pronto se sintió muy sola.

Y ella no era la única.

De reojo, vio cómo una lágrima se deslizaba por la mejilla de Susi.

—Eh, ¿quieres compartir litera conmigo? —le preguntó Katie, intentando animarla.

Susi sonrió… un poco:

—Vale, pero si me dejas dormir en la cama de arriba.

—Hecho.

Fox se volvió hacia ellas.

—Chicas, ¿queréis oír una canción de campamento? —preguntó.

—¿Por qué no? —respondió Susi, antes de añadir por lo bajinis—: Total, nos la vas a cantar de todas maneras…

Fox sonrió de oreja a oreja y empezó a cantar:

—¡Se nota, se siente, 3.º está presente! Aplaudimos sin parar, y los pies… ¡a patalear!

Al poco rato, todos coreaban la canción de Fox. Míriam y Sara incluso se inventaron un juego de palmas al ritmo de la música.

Todo el mundo se estaba divirtiendo.

Todo el mundo menos Mac, que se sentía el ser más desgraciado del planeta.

Katie se apuntó a cantar, y eso hizo que se animara bastante. Cada vez que miraba la cara sonriente de Fox, deseaba pasárselo por lo menos igual de bien que él.

Aunque, en el fondo, Katie tenía un presentimiento…

El presentimiento de que algo horrible iba a suceder en aquel campamento.

Capítulo 3

El autocar salió de una curva y los chicos divisaron la señal de bienvenida al campamento.

De repente, todos empezaron a parlotear a la vez.

Todos menos Mac, claro. Él siguió hecho una seta, sentado y en silencio.

—¡Hurraaaa, ya hemos llegado! —exclamó Fox, emocionadísimo.

—¡Oooh! ¿Vamos a dormir en esas casitas tan monas? —preguntó Sara, señalando las pequeñas cabañas de madera que salpicaban el campamento.

—¿Y habéis visto el lago? —añadió Zoe—. ¡Es superazul!

—¿Dónde estará la granja? —dijo Manu—. La señorita Ana dijo que aquí había cabras y ovejas…

—¿Creéis que habrá espejos de cuerpo entero en las habitaciones? —preguntó Susi.

Antes de que nadie pudiera responderla, el autocar se detuvo y los chicos bajaron a toda prisa.

Katie miró a su alrededor. ¡El campamento era realmente bonito!

Había flores por todas partes, los pájaros cantaban, un fresco olor a campo llegaba transportado por el viento…

¿El viento?

¡El viento!

De pronto, Katie sintió un nudo en el estómago y miró rápidamente hacia los árboles.

Las hojas y las ramas se movían.

¡Ufff! ¡No era más que un viento normal y corriente!

Por un momento, Katie se había temido que el viento mágico la hubiera seguido hasta el campamento.

El viento mágico era una especie de tornado que daba vueltas y vueltas... pero solo alrededor de Katie. Era realmente horrible. Aunque lo peor era cuando dejaba de soplar... ¡Porque entonces Katie se transformaba en alguien diferente!

Todo comenzó un día malo, pero malo de verdad, en el que le pasó de todo:

Se puso perdidos de barro sus pantalones favoritos, se le escapó un eructo tremendo delante de toda la clase... ¡En su vida había pasado tanta vergüenza!

Entonces Katie cometió el error de desear dejar de ser ella misma para convertirse en alguien diferente, y en el momento de formular ese deseo, una estrella fugaz debió de cruzar el cielo, porque al día siguiente sopló un viento mágico que transformó a Katie en *Rapidín*, ¡el hámster de su clase!

Se pasó toda la mañana correteando en una rueda de hámster hasta que logró escapar de aquella jaula... ¡Menos mal que volvió a transformarse en ella misma antes de que alguien la pisara![1]

---

[1] Si quieres saber más sobre esta historia, léete *Un día horrible en el cole*, el n.° 1 de la colección «Katie Kazoo».

Desde entonces, Katie nunca sabía cuándo volvería a soplar el viento mágico…, ni en quién la convertiría la próxima vez.

Ya la había transformado en Rita *la Papafrita*, la encargada del comedor[2].

Y en Lulú, la hermana de Susi, ¡que era solo un bebé![3]

Y en su amigo Fox[4].

Y en el director del colegio[5].

---

[2] Si te interesa esta aventura, léete *La guerra del comedor*, el n.º 2 de la colección «Katie Kazoo».

[3] Para saber qué pasó en esta ocasión, léete *El increíble bebé parlante*, el n.º 3 de la colección «Katie Kazoo».

[4] Si quieres saber más sobre esta otra historia, léete *Chicos contra chicas*, el n.º 4 de la colección «Katie Kazoo».

[5] Y si también te interesa esta aventura, léete *¡Odio las normas!*, el n.º 5 de la colección «Katie Kazoo».

¡Y todas esas veces se había metido en unos líos de campeonato!

Katie solo esperaba que el viento mágico no fuese capaz de encontrarla allá, en el campamento.

Ya era bastante duro estar fuera de casa como para, además, estar fuera de su cuerpo…

Capítulo 4

Manu, Kevin y Mac estaban sentados en la hierba.

Los dos primeros no paraban de cuchichear y de soltar risitas tontas, mientras Mac se limitaba a poner cara de aburrimiento.

Al final, Manu se acercó a la señorita Ana y le preguntó:

—Seño, seño, ¿qué es una cosita negra con rayas, pelos, antenas y muchas patas?

La señorita Ana se encogió de hombros:

—Pues con esas pistas..., no lo sé, Manu.

—¡Yo tampoco lo sé, pero está trepando por tu brazo! —exclamó él.

—¡AAAAHHHHHH!

El grito de la señorita Ana fue tan tremendo que seguro que se oyó hasta en el colegio.

La profesora empezó a pegar botes mientras se daba manotazos en el brazo:

—¡QUITÁDMELOOO! ¡QUITÁDMELO AHORA MISMOOOO!

De repente, una mujer apareció por detrás de la señorita Ana y preguntó con un profundo vozarrón:

—¿Qué está pasando aquí?

Katie se quedó boquiabierta.

Además de ser altísima, aquella mujer tenía unos músculos de impresión, llevaba un

ÑAS
OR
AS

uniforme verde y tenía pinta de no haber sonreído... jamás.

¡Ella sí que daba miedo, más que cualquier bicho!

—Te...te...te...tengo un bi...bi...bi...bicho pe...pe...pe...peludo en el bra...bra...brazo —tartamudeó la señorita Ana.

—¡Oh, venga ya! —soltó la mujer del uniforme verde—. Aquí, los bichos son de lo más normal del mundo. Vaya acostumbrándose, soldado.

La señorita Ana la miró, sorprendida:

—Perdón, ¿cómo me ha llamado? —preguntó.

—Mmmm... Quise decir que no tiene nada en el brazo —respondió la mujer.

PINO PI
CAMPA
JUVE
COMEDOR

La señorita Ana se miró el brazo sin bicho y suspiró antes de exclamar:

—¡Mac, ven aquí!

Mac fue hacia ella arrastrando los pies.

—Yo no he sido —dijo.

—Puede que no. Pero tengo el presentimiento de que la idea de gastarme esa broma ha sido tuya —replicó la señorita Ana.

—Yo no he sido. De verdad —insistió Mac.

—Yo que usted no me preocuparía más por las bromas —dijo la mujer de verde a la señorita Ana—. Me llamo Eugenia, soy la monitora jefe y no pienso tolerar ni una sola gracia mientras dure el campamento, ¿queda claro? —dijo mirando a Mac con cara de poquísimos amigos.

—En lugar de Eugenia, debería llamarse *Malgenia*... —le susurró Susi a Katie.

A Katie le dieron ganas de reírse, pero no se atrevió.

¡A saber de lo que era capaz aquella mujer cuando se enfadaba!

—¡Atención, tropa! Quiero decir..., ¡chicos y chicas! —se corrigió Eugenia—. Es hora de que conozcáis al personal. Para empezar, ¡yo soy la monitora jefe y todo el mundo está a mis órdenes!

Todos los chicos se volvieron para ver la reacción de la señorita Ana porque sabían que no le gustaba ni pizca estar a las órdenes de nadie..., pero la profesora estaba demasiado ocupada rociándose con *spray* antibichos y no había escuchado nada de nada.

—¡Alejaos de mí, hormiguchas! —refunfuñaba mientras se fumigaba las zapatillas como una loca.

Eugenia señaló a una mujer bajita de pelo corto y castaño que sonreía alegremente.

—Esta es Tina —dijo—. Ella se encarga del programa de animales domésticos.

—Hola a todos —les saludó Tina—. Espero que visitéis la granja y me ayudéis con los animales.

Katie sonrió. Tina parecía simpática. Y quizá la visita a los animales de la granja le ayudaría a no echar tanto de menos a *Pimienta*.

—Y este es Bruno, nuestro monitor de manualidades —dijo Eugenia, señalando a un hombre alto y delgado que llevaba gafas de sol, muchas pulseritas de colorines en las muñecas y una camiseta teñida a mano.

—No os imagináis la de cosas que podemos hacer con los materiales que nos proporciona la naturaleza —les dijo Bruno—. ¡Ya veréis qué bien lo vamos a pasar!

—¡SÍÍÍÍÍÍ! —exclamaron los chicos, entusiasmados, ante la mirada malhumorada de Eugenia, que no parecía muy conforme con tanto grito.

En ese momento, una estruendosa campanada resonó por todo el campamento.

—Muy bien, eso significa que es la hora del rancho —les dijo Eugenia—. Tenéis exactamente veintisiete minutos para comer. Ahora poneos en fila.

Los chicos formaron una línea recta.

—¡En marcha! —ordenó Eugenia—. Un, dos, tres, cuatro. Un, dos, tres…

Mientras Katie desfilaba hacia el comedor, recordó lo que había dicho el padre de Mac, aquello de que ir de campamento no era como ir a la guerra.

¡Qué equivocado estaba!

Capítulo 5

Eugenia les tuvo haciendo actividades sin parar desde por la mañana hasta por la noche.

Algunas de ellas, como hacer velas con cera de abeja o dar de comer a los animales, no estuvieron mal. Pero Eugenia se encargó de dejarles bien claro que aquel campamento también formaba parte de su educación, así que les hizo cargar con cuadernos y lápices a todas partes para tomar notas de lo que iban aprendiendo.

—¡Buffff, estoy agotada! —dijo Katie cuando por fin llegó la hora de acostarse y se dejó caer en su litera.

—Este campamento va a acabar conmigo... —gimió Míriam—. ¡Creo que podría dormirme de pie! O incluso en este colchón cochambrosillo...

Susi puso un pie en el somier de la cama de Katie y se aupó hasta la litera de arriba, haciendo que el colchón se hundiera un poco sobre la cabeza de su amiga. Después, la litera se meneó peligrosamente adelante y atrás mientras Susi daba vueltas y vueltas buscando la mejor postura para dormir. Por un momento, Katie temió que se le cayera encima.

Lo mejor era no mirar hacia arriba, así que se puso a inspeccionar el resto de la cabaña. Había varias literas pegadas a las paredes, que eran de madera y tenían ventanas con rejillas.

En ese momento, Tina asomó la cabeza por la puerta de la cabaña.

—Bien, chicas, es hora de apagar las luces. ¡Que durmáis bien!

En medio de aquella oscuridad y en aquel lugar extraño, Katie sintió un poco de miedo. En casa, siempre dormía con *Pimienta*. Pero ahora estaba sola.

De repente se oyó un crujir de hojas fuera de la cabaña.

—Susi —susurró Katie—. ¿Has oído eso?

Susi escuchó con atención y respondió con un hilito de voz:

—Creo que hay alguien ahí fuera…

—Alguien… o algo —musitó Míriam.

Zoe saltó de la cama y corrió hacia la de Katie.

—¿Te molesta si me siento aquí un ratito? —le preguntó—. No me apetece estar tan cerca de la puerta…

El crujido de las hojas se hacía cada vez más fuerte.

Fuera lo que fuese lo que había en el exterior, se estaba acercando.

—¿Será un oso? —preguntó Katie, tragando saliva.

—A lo mejor es un monstruo… —gimoteó Sara—. Un monstruo que odia a los que venimos de campamento.

De repente, un potente rayo de luz iluminó una de las ventanas de la cabaña.

—¡AAAAAAAAHHHHHHHH! —gritaron todas las chicas a coro—. ¡EL MONSTRUO DEL CAMPAMENTOOOOOO!

Pero la luz no tenía nada que ver con un monstruo.

Era la linterna de Eugenia.

—¡Muy bien, reclutas... digooo, chicos, os he pillado! —resonó su vozarrón—. Conque de excursioncita nocturna sin MI permiso, ¿eh?

Las chicas se apelotonaron en la ventana para ver qué pasaba.

Bajo el resplandor de la linterna de Eugenia, vieron las caras aterradas de Kevin y Manu.

—Tengo un castigo perfecto para vosotros dos —siguió hablando Eugenia con un tono que les hizo temblar.

La monitora jefe agarró a Manu en brazos y lo aupó hasta la rama de un pino.

—¡Abrázalo! —le ordenó.

—Que abrace... ¿a quién? —preguntó Manu, blanco como la tiza.

—Al árbol. ¡Abraza al árbol! —le ordenó Eugenia—. Y tú, ¡abraza a este otro! —dijo volviéndose hacia Kevin y subiéndolo a la rama del pino de enfrente—. Después de un buen rato ahí arriba, seguro que se os pasan las ganas de dar paseítos sin autorización...

A Kevin no le quedó más remedio que abrazarse al árbol. Y Manu hizo lo mismo.

Las chicas sabían que, una vez apagadas las luces, debían permanecer en silencio. Pero no pudieron evitarlo. La estampa de Manu y Kevin abrazados a los pinos era para partirse de risa, así que estallaron en carcajadas.

Y Eugenia no se lo impidió.

Capítulo 6

—¿Qué es eso pegajoso que llevas en el pelo? —le preguntó Bruno a Kevin a la mañana siguiente, cuando todos entraban en el comedor a desayunar.

—Resina de pino —le respondió Kevin.

—¿Y se puede saber cómo ha ido a parar a tu cabeza? —siguió preguntándole el monitor de manualidades.

—Prefiero no hablar de ese tema… —gruñó Kevin, que no había podido quitarse aquella pasta pringosa del pelo.

Después de coger su bandeja, Kevin se sentó junto a Katie, Fox, Susi y Manu.

—¿Qué le pasa a Mac? —le preguntó Susi—. Pensaba que siempre ibais juntitos a todas partes…

Pese al retintín con que lo había dicho, Susi tenía razón. Mac, Manu y Kevin lo hacían casi todo juntos.

Pero aquella mañana, Mac estaba sentado él solo al fondo del comedor. Y parecía muy triste.

—No sé qué le pasa —dijo Manu—. No quiere hacer nada. Anoche, antes de que *Malgenia* nos pillara haciendo el ganso a Kevin y a mí, todos estábamos contando historias de miedo en la cabaña… ¡y Mac se dio la vuelta y se puso a dormir!

Dos cosas estaban claras: Que el mote de Eugenia había corrido como la pólvora, y que a Mac le pasaba algo raro.

—Eso no es normal en Mac... —reflexionó Katie—. ¡A él le encantan las historias de miedo!

—Oye, Fox, una duda: ¿En qué momento empieza uno a pasárselo bien en los campamentos? —preguntó Susi, cambiando de tema—. No has parado de hablar de lo mucho que molan, de lo divertidíiiiisimos que son..., ¡pero a mí este me está pareciendo una pesadilla!

Fox asintió:

—Bueno, es que este campamento no se parece en nada al que fui el verano pasado. Pero a lo mejor para hoy nos programan unos juegos... o algo así —dijo sin estar muy convencido.

En ese momento, Eugenia pasó junto a su mesa.

Fox se dirigió a ella con una sonrisilla nerviosa:

—Perdona, *Malg*... estoooo, Eugenia.

La monitora jefe le miró con cara de bulldog.

—¿Qué pasa, soldado, quiero decir..., chico?

—¿Hoy tendremos un rato de tiempo libre? —le preguntó Fox—. Podríamos jugar al fútbol, o al baloncesto, o a lo que sea. Ya sabes, divertirnos un rato y eso.

Eugenia frunció el ceño aún más de lo normal en ella (y ya es decir...).

—¡Esto no es un campamento de recreo, sino un campamento escolar! —gritó—. No estáis aquí para jugar. Habéis venido a aprender, ¡y nadie ha dicho que eso tenga que ser divertido!

Fox tragó saliva mientras Eugenia seguía hecha una furia:

—Hoy tengo un programa completísimo para vosotros. Empezaremos con una inspección. Voy a revisar todas las cabañas para ver si están ordenadas. Y más vale que las literas estén bien hechas. ¡Quiero que esas sábanas estén tan estiradas como para que una pulga pueda usarlas de cama elástica!

—¿Y qué tendrá que ver el salto de pulga en cama elástica con aprender? —se dijo Manu en voz alta (después de que Eugenia se alejara, claro).

Mientras los demás desayunaban, Katie se quedó mirando a Mac.

Se le veía de lo más solitario.

Katie estaba preocupada por él, así que se levantó y fue a sentarse a su lado.

—¡Hola, Mac! —le saludó.

Mac no dijo ni mu y se limitó a seguir comiendo huevos revueltos.

—Están asquerosos —gruñó por fin.

—¿No tienes ganas de que llegue la excursión de esta tarde? —le preguntó Katie.

—No —respondió él de muy mal genio—. Las excursiones son un asco. ¡Aquí todo es un asco!

—Mac, ¿por qué estás tan borde?

—No estoy borde. Lo que pasa es que soy demasiado *guay* para este sitio tan asqueroso. ¿Qué se le va a hacer si contigo no pasa lo mismo?

Katie se puso colorada como un tomate.

—¡Y luego dices que no estás borde, Mac! —le gritó—. Además, ¡tú de *guay* no tienes nada! ¡Lo que eres es imbécil!

Katie salió enfadadísima del comedor, antes de que la señorita Ana pudiera decirle que «imbécil» es algo que no se le debe llamar a nadie… o de que Eugenia la hiciera abrazarse a un árbol o a algo todavía peor.

Capítulo 7

Cuando Eugenia terminó el registro de las cabañas, los chicos se prepararon para hacer una excursión por el bosque.

Cada uno llevaba su cantimplora de agua y una bolsa de comida.

La cocinera del campamento le guiñó un ojo a Katie al darle su bolsa:

—No te he puesto nada de carne —le aseguró, ya que Katie le había dicho que era vegetariana—, pero te he metido más zanahorias y más patatas fritas. ¡No pienso dejar que ningún niño se quede con hambre!

—¡Gracias! —le dijo Katie con una gran sonrisa.

Habían dividido a los chicos en pequeños grupos para la caminata, y a Katie, Susi, Fox y Mac les tocó ir juntos.

—¿Quién va a ser nuestro monitor? —preguntó Mac.

—La señorita Ana —respondió Susi.

Katie protestó:

—Jo, yo esperaba que nos tocara con Tina o con Bruno…

En ese momento, Eugenia se acercó al grupo de Katie y sus amigos.

—La señorita Ana ha tenido un pequeño problema… —les comunicó—. Se ha caído encima de unas ortigas mientras huía de una mosca, así que yo dirigiré vuestro grupo —y enseguida ordenó—: ¡Muy bien, tropa! ¡En marcha! ¡Izquierda, derecha, izquierda, derecha, izquierda!

Katie iba en la fila detrás de Mac, que avanzaba a paso de tortuga.

—Como no vayas más deprisa, *Malgenia* te va a echar la bronca —le susurró Katie.

Mac rebuscó en su bolsillo y sacó un caramelo envuelto en papel brillante.

—¿Qué prisa tienes? —farfulló mientras chupaba el caramelo—. Ni que fuéramos a algún sitio interesante...

—Se supone que vamos a observar las plantas y los animales del bosque —le recordó Katie—. Mira, ¡una ardilla!

Pero a Mac no le impresionó ni pizca el descubrimiento de su amiga.

Un rato después, Katie avanzó hacia el principio de la fila.

—*Malg*..., digoooo, Eugenia —le dijo en voz baja—, ¿hay algún baño por aquí cerca?

La monitora jefe señaló los árboles que las rodeaban:

—Sí: Detrás de ese árbol. O de ese. O de cualquiera.

Katie tragó saliva.

—¿Tengo que hacer pis... detrás de un árbol?

Eugenia asintió con la cabeza:

—O eso, o aguantarte. Tú verás.

No había otra solución. Katie corrió hacia un enorme pino rodeado por unos arbustos bastante altos. ¡Esperaba que la taparan!

Y de repente, sintió una brisa helada en la nuca.

Después de la caminata, se agradecía aquel vientecillo fresquito, pero Katie dejó de agradecerlo de golpe al darse cuenta de que solo soplaba a su alrededor…

Aquel no era un viento normal y corriente.

¡Era el viento mágico!

—¡Oh, no! —gimió Katie—. ¡Aquí, no! ¡En mitad del bosque, no!

Cuando el viento mágico empezó a dar vueltas y vueltas a su alrededor, ella cerró los ojos e intentó no gritar.

El tornado giraba cada vez más rápido y Katie tuvo que agarrarse a un árbol con todas sus fuerzas, intentando desesperadamente mantener los pies en el suelo.

El viento mágico se volvía más y más fuerte…

… Hasta que, de pronto, se paró.

A Katie le dio miedo abrir los ojos.

¿Y si el viento se la había llevado lejos?

¿Y si estaba sola en medio del bosque?

Pero no estaba sola, ¡ni mucho menos! Sus compañeros estaban a su lado, muy, muy cerca.

Cuando Katie por fin abrió los ojos, vio cómo Fox la miraba fijamente antes de preguntar:

—*Malg*… digooo, Eugenia, ¿qué haces abrazada a ese árbol?

Capítulo 8

Katie se miró los pies.

En lugar de sus deportivas de color rojo brillante, vio unas enormes botazas.

Y en vez de su ropa, llevaba un uniforme verde.

¡Horror!

¡Se había convertido en Eugenia!

Lo peor de todo era que la monitora jefe estaba al mando en la excursión... Se suponía que iba a enseñarles a desenvolverse y a sobrevivir en el bosque, además de a encontrar el camino de vuelta al campamento.

¡Y Katie no tenía ni idea de cómo hacer ni una sola de esas cosas!

—Eh, ¿qué ha pasado con Katie? —preguntó entonces Mac—. Ya hace un buen rato que ha desaparecido.

Katie tragó saliva. Ella sabía exactamente qué había pasado con ella misma, pero ¿cómo iba a explicárselo a sus amigos?

—¡Katieeee! —gritó Fox hacia la espesura del bosque.

No hubo respuesta.

—¡¡¡Katie Kazoo, deja de hacer el tonto y sal ahora mismo!!! —insistió Mac.

Susi estaba empezando a asustarse mucho.

—¡Se ha perdido! —exclamó.

—No puede estar muy lejos —la tranquilizó Katie con la voz y el cuerpo de Eugenia—. Seguro que, si nos quedamos aquí sentados, volverá de un momento a otro.

Susi estaba tan asustada que se le olvidó el miedo que tenía a Eugenia y empezó a gritarle:

—¡No podemos sentarnos aquí y punto! ¡Katie está perdida en algún lugar del bosque! ¡Tenemos que buscarla!

Katie no sabía qué hacer. Seguro que la verdadera Eugenia ya habría puesto en marcha una partida de rastreo en toda regla. Al fin y al cabo, ese era su trabajo: Mantenerlos a todos sanos y salvos.

—Muy bien. Buscaremos a vuestra amiga. Pero aseguraos de permanecer juntos. No estoy dispuesta a perder a nadie más,

¿entendido? —dijo, intentando parecer la auténtica *Malgenia*.

***

Mientras los chicos buscaban a su amiga perdida, Katie intentaba con todas sus fuerzas comportarse como una verdadera monitora jefe, cosa que no resultaba nada fácil... ¡Era la primera vez que se encontraba en mitad de un bosque!

Por otra parte, notaba cómo sus amigos estaban cada vez más asustados, así que decidió aliviar la tensión intentando que pensaran en otra cosa.

—Chicos, mirad qué planta tan bonita... —dijo, señalando una mata que había en el camino y agachándose para coger una de sus hojas, que eran muy verdes y con una curiosa forma de sierra.

—¡*Malg*... digooo, Eugenia, no la toques! —gritó Fox—. ¡Es una ortiga!

¡Upsss! Katie tragó saliva. ¡Vaya metedura de pata!

—Muy bien, Fox —improvisó Katie—. Lo he hecho aposta. Era una prueba. Quería ver si erais capaces de reconocer una ortiga...

—No es momento de pruebecitas —se quejó Susi—. ¡Tenemos que encontrar a Katie!

—O a lo que quede de ella... —añadió Mac.

—¡Retira eso, Mac! —gritó Susi.

—¡Oblígame!

Katie se colocó entre ellos de un salto.

—Sigamos —les ordenó.

—¿Por dónde? —refunfuñó Mac.

Katie les llevó hasta un sendero lleno de barro.

—Quizá se dirigió hacia el este —les dijo—. Lo mejor será que sigamos este camino y…

—¡Pero si estamos yendo hacia el oeste! —la interrumpió Fox.

—¿Y tú cómo lo sabes? —le preguntó Katie.

—Ya está atardeciendo. El sol se pone por el oeste, y ahora mismo está justo enfrente de nosotros.

Katie suspiró. No tenía ni idea de ese asunto, pero aun así, replicó:

—Por supuesto. Quise decir oeste, no este. Iremos hacia el oeste.

—Se está poniendo muy oscuro... —se quejó Susi mientras echaban a andar detrás de Katie.

Esta intentó tranquilizarla:

—Solo es una nube que tapa el sol —dijo, tratando de parecer convincente.

—Pues yo creo que está oscureciendo, porque ya son casi las ocho de la tarde —señaló Fox—. Enseguida se hará de noche.

—¡Oh, no! —gritó Susi—. ¡Katie va a pasar la noche sola en el bosque!

—Tranquila, Susi —dijo Katie—. Encontraremos a tu amiga.

—Katie no es una amiga cualquiera —gimió Susi—. Es mi mejor amiga. Y estoy preocupada por ella. No como otrossss... —añadió mirando a Mac y a Fox.

—¡Eh, que también es mi mejor amiga! —saltó Fox.

—Pues no pareces muy preocupado.

Katie resopló:

—¿Queréis hacer el favor de dejar de...? ¡AAAAAHHHH!

Antes de que pudiera terminar la frase, resbaló por una cuesta larguísima y, cuando llegó al final, se encontró metida hasta la cintura en un pegajoso barrizal.

—¡SOCORROOO! ¡ARENAS MOVEDIZAS! —gritó en dirección a Mac, Fox y Susi—. ¡ME HUNDO! ¡AYUDAAAA!

Mac miró a la monitora jefe.

—Yo no pienso ayudarla —les dijo los demás—. Que se la traguen las arenas esas.

NO PIN
MENTO
ENIL

—Pero, Mac, ¡ella es la única que conoce el camino de vuelta! —replicó Susi—. ¡Y ahora se está hundiendo!

—No se está hundiendo. Y esas no son arenas movedizas. Solo es un barrizal. Jugamos en uno igualito en el campamento al que fui el verano pasado —aseguró Fox—. A ver, *Malg*... digoooo, Eugenia, agárrate a la rama de ese árbol e impúlsate hacia arriba.

Katie trató de hacer lo que Fox le decía. Pero no era nada fácil. Tenía las manos resbaladizas por culpa del barro, y la rama no estaba tan cerca.

Por fin logró agarrarse a ella y se impulsó hacia arriba con tanta fuerza que la rama se balanceó de un lado a otro, Katie perdió el equilibrio, se soltó y...

—¡AAAAHHHHHH!

… Volvió a resbalar por otra cuesta que se abría justo al lado del barrizal.

Katie cayó, cayó y cayó rodando por la pendiente hasta desaparecer en la espesura del bosque.

Por suerte, acabó aterrizando en un montón de hojas y no se hizo demasiado daño. Pero seguía habiendo barro por todas partes y no encontraba la manera de subir por la cuesta sin resbalarse otra vez. Cuanto más lo intentaba, más se escurría.

Y entonces, justo cuando empezaba a desesperarse del todo, una brisa que le resultaba muy conocida comenzó a cosquillearle en la nuca.

¡Era otra vez el viento mágico!

Un auténtico tornado empezó a formarse alrededor de Katie.

Ella intentó agarrarse a un árbol cercano, pero estaba demasiado lejos.

De pronto, ¡fiuuuuuu!, el viento mágico la tiró al suelo. ¡Estaba soplando más fuerte que nunca!

Katie consiguió agarrarse a una roca mientras notaba cómo sus pies empezaban a flotar en el aire.

Y tan rápido como había llegado, el viento paró.

Todo se quedó tranquilo alrededor de Katie.

Todo menos Eugenia.

La monitora jefe estaba tirada en el suelo, agarrada a una piedra y rebozada en barro como una croqueta.

PINO P
CAMPA
JUVE

Estaba claro que no tenía ni idea de cómo había llegado hasta allí.

—¿Qué… qué… demonios ha pasado? —le bufó a Katie, que «casualmente» estaba de pie a su lado.

Katie sabía que tenía que contestar algo… ¡y rápido!

—¡Ay, *Malg*…, digoooo, Eugenia, qué contenta estoy de que me hayas encontrado! —dijo—. Llevaba tanto rato perdida… ¡Eres una monitora genial!, ¿lo sabías?

—Monitora jefe, si no te importa —le recordó Eugenia, antes de incorporarse para mirarla fijamente—: ¿Y dices que te habías perdido? —le preguntó, perpleja.

—¡Pues claro! Si no, ¿cómo ibas a encontrarme? —fue la respuesta de Katie.

Capítulo 9

—**Bien, soldado,** unos metros más y ya está —dijo Eugenia—. Intenta escalar a la vez que yo. ¡Alehop!

La monitora jefe había rodeado la cintura de Katie con su cinturón y lo utilizaba para remolcarla hacia arriba por la resbaladiza cuesta.

Katie apoyó los pies en el barro e intentó escalar.

—¡Es muy difícil! —se quejó.

—Vamos, vamos, ya casi estamos —la animó Eugenia.

—¡Eh, mirad! —chilló Mac—. ¡Es Katie Kazoo!

Cuando por fin llegaron junto a los demás, Fox corrió hacia ellas.

—¿Dónde os habíais metido?

—Yo fui al bosque a… a… —empezó a explicar Katie.

—A hacer pis —dijo Mac entre risitas.

Katie se puso colorada antes de añadir:

—Da igual, el caso es que me perdí y M*alg*…, digoooo, Eugenia me ha encontrado.

—¡Justo a tiempo, porque me muero de hambre! —dijo Mac—. Como estábamos buscándote, ni siquiera hemos sacado la comida. Aunque, con las horas que son, lo mejor será que volvamos al campamento y comamos algo allí.

—Vale, ¿y por dónde vamos? —preguntó Fox.

Eugenia examinó los árboles con atención y murmuró, preocupada:

—¿Dónde están las cintas rojas?

—¿Qué cintas rojas? —le preguntó Katie.

—¡Las que estaban atadas a los árboles! ¡Las que indicaban el sendero de vuelta al campamento! —exclamó Eugenia, muy nerviosa.

—Nos habremos salido del sendero mientras buscábamos a Katie —dedujo Fox—. ¿No podemos volver por otro camino?

—Podríamos... —dijo Eugenia—, si conociera ese otro camino. ¡Pero no tengo ni idea de a qué distancia estamos del campamento ni de qué ruta seguir para volver! Ni siquiera estoy muy segura de cómo hemos llegado hasta aquí... Lo tengo todo como en una especie de nebulosa.

—¡Todo esto es por tu culpa, Katie Kazoo! —soltó Mac de muy malos modos.

Katie miró a su amigo. ¿Se habría dado cuenta de que había sido ella y no Eugenia quien los había perdido? ¿Sabría algo sobre el viento mágico?

—Si no hubieras desaparecido, no habríamos tenido que buscarte y no nos habríamos perdido —siguió hablando Mac, enfurruñadísimo.

O sea, que Mac no sabía nada del viento mágico, pensó Katie, aliviada.

Pero en el fondo, su amigo tenía razón. Ella era la culpable de que se hubieran perdido, y ahora ni siquiera Eugenia podía devolverlos sanos y salvos al campamento.

—Odio la oscuridad... ¡La odio! —lloriqueaba Susi—. Y ni siquiera tenemos una linterna...

—¿Y si existiera de verdad el monstruo del campamento? ¡Podría atraparnos! —gimió Mac haciendo pucheros.

Hasta Fox parecía inquieto.

—¿Creéis que los demás estarán preocupados por nosotros? —preguntó.

—¡Sí! ¡A lo mejor llaman a la policía para que venga a rescatarnos! —exclamó Susi, esperanzada.

—Seguro que la señorita Ana está atacada de los nervios —añadió Mac.

—No creo —dijo Katie—. Me apuesto lo que quieras a que está tan tranquila porque sabe que estamos con la monitora jefe y que ella nos cuid…

¡UUUUUUHHH!

Un extraño grito impidió que Katie acabara la frase.

—¿Q…q…qué ha sido eso? —tartamudeó Eugenia.

Katie tragó saliva. A lo mejor la monitora jefe no podía cuidarles tan bien como pensaba… ¡Parecía que a ella también le daba miedo estar en el bosque de noche!

—Habrá sido un búho —aventuró Katie para tranquilizarla—. Tina dijo que había muchos por aquí. No te preocupes. No hacen nada.

¡GRRRRRRRRRR!

Todos oyeron lo que parecía un gruñido.

—¿Y ahora qué ha sido eso? —preguntó Eugenia, alarmada.

A Katie le dio la risa:

—¡Las tripas de Mac!

—Sí, ¿qué pasa? Siempre me suenan cuando tengo hambre… —se quejó él.

—Bueno, por lo menos tenemos comida… Podríamos zampárnosla, ¿no? —sugirió Fox.

—¡Buena idea! ¡A comer! —exclamó Katie.

Sacaron los sándwiches (los de Katie eran vegetarianos y, además, ella tenía palitos de zanahoria «extras»), las patatas fritas y las piezas de fruta y organizaron un *picnic* que les levantó un poco el ánimo a todos.

A todos menos a Eugenia, que se pasó un buen rato yendo de árbol en árbol, en busca de las famosas cintas rojas.

Cuando se dio por vencida, se sentó sin probar bocado junto a los chicos y permaneció un buen rato en silencio, con la mirada perdida en el bosque.

Por fin, cuando hacía ya mucho rato que la única luz que les rodeaba era la de la luna, Eugenia habló:

—Hora de dormir, chicos.

Susi dio un respingo:

—¿Dormir? ¿Vamos a dormir aquí, en mitad del bosque?

—Me temo que sí. De noche solo conseguiríamos perdernos más, ¿comprendes? Mañana temprano buscaremos el camino de vuelta al campamento —respondió Eugenia, que era la viva estampa del desánimo.

—Pero… pero… ¡es que el suelo está sucísimo! —protestó Susi, que no veía la manera de largarse de allí.

—¿Y cuál es el problema? —saltó Fox—. ¿No te has traído el modelito adecuado para dormir al aire libre?

Susi le hizo una mueca bastante fea, pero no dijo nada.

Katie cogió una de las bolsas de papel en las que habían llevado la comida y empezó a llenarla de hojas secas.

—¿Qué haces? —le preguntó Susi.

—Una almohada.

Parecía una buena idea, así que Susi, Fox y Mac cogieron sus bolsas de la comida y se pusieron a prepararse sus almohadas.

Katie hizo una almohada más para Eugenia. Le daba mucha pena la monitora jefe porque, en realidad, ella no tenía la culpa de nada.

A todos se les cerraban los ojos de puro cansancio, y desde ese momento, los bostezos y algún que otro ronquido empezaron a mezclarse con los sonidos nocturnos del bosque.

Capítulo 10

No llevaría ni media hora durmiendo cuando el ruido de unos pasos despertó a Katie.

¡Había alguien rondando por el bosque!

Katie miró a Eugenia. Estaba hecha un ovillo, roncando a un volumen considerable.

No..., la monitora jefe no iba a ser de mucha ayuda.

Entonces oyó cómo alguien lloraba entre unos árboles cercanos.

Con mucho sigilo, Katie se levantó y fue hasta el lugar del que procedía aquel sonido.

Se trataba de Mac.

Estaba despierto… y llorando a moco tendido.

—¿Qué te pasa? —le preguntó.

Mac se restregó la nariz con la manga.

—Nada —murmuró.

—¡Oh, venga, Mac! Te pasa algo, fijo.

—Es que te vas a reír…

—Que no. Te lo prometo.

—Tengo miedo… Nunca había estado tanto tiempo fuera de casa.

Katie le entendía perfectamente. Esa era la razón por la que Mac había estado tan borde desde el principio del campamento.

No quería que sus amigos se dieran cuenta de lo que le pasaba.

—No se lo contarás a nadie, ¿verdad, Katie Kazoo? —le pidió en un susurro.

—¡Nunca! —Katie miró a su alrededor para asegurarse de que todos dormían—. Oye, tengo una idea genial. ¿Qué te parece si nos quedamos toda la noche despiertos, y así vemos amanecer?

Mac sonrió un poco:

—Podemos contar chistes, historias y todo eso.

—¡Vale! —dijo Katie—. ¿Te enseño una cosa? —entonces se puso la capucha de su sudadera y se apretó los cordones hasta que su cabeza desapareció completamente debajo.

—¡Mola! —exclamó Mac—. Pareces un monstruo sin cara.

—Sooooy el mooooonstruo sin caaaara que se apareeeece por las nooooches en el campamentoooo… —dijo Katie con voz de misterio.

—Iba Caperucita Roja por el bosque y cayó la noche. ¿Y sabes qué le pasó? —preguntó entonces Mac.

Katie negó con la cabeza.

—¡Que la aplastó! —respondió Mac, muerto de la risa por su propio chiste.

Katie sonrió.

Mac había vuelto a ser el mismo de siempre.

¡Un problema menos!

Capítulo 11

A la mañana siguiente, el grupo se levantó muy temprano. Querían volver al campamento cuanto antes.

—¿Encontrarás el camino? —le preguntó Fox a Eugenia, esperando con todas sus fuerzas que le contestara que sí.

—No estoy muy segura… —respondió ella, avergonzada.

Aquella respuesta desanimó bastante a los chicos, pero la luz del día al menos ayudaba a que la situación diese un poco menos de miedo.

—¡Qué hambre tengo! —protestó Mac—. ¿Queda algo de comida de anoche? ¿Unas patatas fritas?

Susi arrugó la nariz.

—¿Patatas fritas para desayunar? ¡Puaj!

—Con el hambre que tengo, me comería cualquier cosa —le aseguró Mac.

Katie, Fox y Susi rebuscaron en sus mochilas.

—No nos queda nada —anunció tristemente Katie.

Mac parecía angustiado, aunque, de repente, se le iluminó la cara.

—¡Sí que nos queda! —exclamó mientras se palmeaba el bolsillo—. ¡Me traje un montón de caramelos!

Al principio, Eugenia se enfadó:

—¡Os dije que nada de chucherías en la excursión! —pero justo en ese instante le sonaron las tripas y enseguida añadió—: Trae uno de esos caramelos.

Mac rebuscó en su bolsillo y frunció el ceño mientras sacaba la mano vacía.

—¡Pufff, menuda plancha!

—¿Qué pasa? —le preguntó Katie—. No te los habrás comido todos, ¿verdad?

Mac negó con la cabeza.

—Qué va. Es que tengo un agujero en el bolsillo…

—¡Oh, no! —se quejó Fox—. ¡Qué desastre!

Justo en ese momento, Katie vio una cosa redonda y dorada debajo de un árbol. Y un poco más lejos vio otra… y otra más.

Enseguida corrió a coger una de aquellas cosas.

—¡De desastre, nada, Fox! —exclamó—. ¡Mac acaba de salvarnos!

—Ah, ¿sí? ¿Y cómo lo he hecho? —preguntó Mac, muy orgulloso… sin saber por qué.

—¡Con tus caramelos! —respondió Katie sujetando uno de ellos, envuelto en papel brillante—. Seguro que se te han ido cayendo durante toda la excursión, así que solo tenemos que seguir su rastro y nos llevarán de vuelta al campamento. Pero lo mejor de todo es que… ¡podemos comérnoslos por el camino! —añadió, metiéndose uno en la boca.

Capítulo 12

Los excursionistas llegaron agotados de vuelta al campamento antes de que sus compañeros se levantaran.

Solo la cocinera les esperaba despierta.

—¿Dónde os habéis metido? —les preguntó—. Me habéis tenido preocupadísima toda la noche. Si no llegáis a aparecer ahora mismo, habría mandado a alguien a buscaros.

—Es una larga historia... —respondió secamente Eugenia antes de desaparecer a toda prisa.

—Nos perdimos y hemos dormido en el bosque —explicó Fox—. Pero estamos bien, no se preocupe.

—Vaya, ¡menuda aventura! En fin, me alegro de que ya estéis aquí —dijo la cocinera—. ¿Por qué no vais a daros una ducha? Por si no os habéis dado cuenta, estáis de barro hasta las orejas. Mientras tanto, os prepararé un desayuno especial. ¡Parecéis hambrientos!

A Katie le pareció genial. La verdad es que, después de la caminata, todos estaban muertos de hambre.

—Yo hay otra cosita que quiero hacer antes de nada… —dijo Mac mientras echaba a correr hacia las cabañas.

—Ya veis, ¡al final ha sido divertido y todo! —comentó Fox a Katie y Susi.

—¡Y espera a que los demás se enteren de lo gallina que ha resultado ser *Malgenia*! ¡Va a ser genial! —exclamó Susi con una sonrisilla malvada.

Katie negó con la cabeza.

—Yo creo que no deberíamos contarles nada. No está bien que nos burlemos de ella por haber tenido miedo.

—Pero es que se hacía tanto la dura… —empezó Susi.

—Solo estaba haciendo su trabajo —la interrumpió Katie—. Tiene que ser dura. El de monitora jefe es un trabajo de mucha responsabilidad. Estás a cargo de todo.

Antes de que Susi tuviera tiempo de replicar, un tremendo grito resonó por todo el campamento:

—¡AAAAAH! ¡UNA ARAÑAAAAA! ¡HAY UNA ARAÑA EN MI ALMOHADAAAAAAA!

La señorita Ana salió a todo correr de su cabaña. Tenía pegotes de crema verde en la cara y llevaba el pelo lleno de rulos, una bata de lunares y unas zapatillas de estar por casa.

Estaba horrorosa.

—¡Ostras, mirad a la señorita Ana! —exclamó Susi.

—¡Uaoooo! —se quedó boquiabierta Katie.

Fox ni siquiera pudo hablar, de la risa.

La señorita Ana siguió corriendo por todo el campamento sin parar de gritar, y Mac aprovechó para salir sigilosamente de la cabaña

de la profesora antes de que alguien le pillara allí dentro.

Entonces Katie descubrió que Eugenia estaba a unos pocos metros y tenía la vista clavada en la cabaña de la señorita Ana.

Seguro que había visto a Mac saliendo de allí.

Katie se estremeció. ¿Le caería a Mac un buen castigo?

Pero Eugenia ni siquiera le echó la bronca.

Al revés, se acercó al grupo de Katie y sus amigos... ¡y se echó a reír con ellos!

Capítulo 13

Cuando llegó el momento de subir al autocar para volver al colegio, Katie se sintió muy triste.

El campamento había resultado de lo más divertido. Iba a echar de menos los animales de Tina, las manualidades de Bruno, las comidas de la cocinera…

Pero, sobre todo, iba a echar de menos a Eugenia.

Al final, la monitora jefe había demostrado que podía ser muy simpática cuando quería. Incluso les enseñó a hacer un postre especial fundiendo chocolate y nubes dulces de las que se deshacen en la boca y poniéndolo todo entre dos galletas.

—A lo mejor el curso que viene podemos volver… —le dijo Katie a Susi mientras se sentaban en el autocar.

—¡Sería *guay!* —exclamó Susi—. Podríamos enseñarle a todo el mundo cómo se sobrevive de noche en un bosque cuando el monstruo del campamento te sigue los pasos…

En ese momento, Katie notó que alguien golpeaba en el cristal de la ventanilla justo a su lado.

Era Eugenia.

Katie se asomó a la ventanilla.

—Hemos aprendido un montón de cosas contigo, Eugenia. ¡Muchas gracias! —le dijo Katie.

BIENVENIDOS A
PINO PIN

Eugenia sonrió de oreja a oreja.

—Yo también he aprendido mucho con vosotros, como por ejemplo que los reclutas..., quiero decir, los niños, pueden hacer muchas cosas ellos solitos... si les das la oportunidad.

Cuando el autocar arrancó por fin, Katie notó cómo un vientecillo fresco que entraba por la ventanilla abierta le alborotaba el pelo.

Estaba prácticamente segura de que no se trataba del viento mágico, pero aun así, alargó la mano y cerró la ventanilla.

¡Por si acaso!

MANUALIDADES DE CAMPAMENTO

Aunque al principio tenía sus dudas,
¡Katie acabó pasándoselo genial
en el campamento!

Bruno, el monitor de manualidades,
tenía un montón de ideas para que los chicos
hiciesen cosas chulísimas con sus propias manos.

¿Te animas a hacer manualidades tú también?

MEDALLÓN DE JABÓN

Necesitas:

* tres tazas de detergente en polvo
  o de escamas de jabón
* un bol
* colorante alimentario líquido
* una taza de agua
* aceite vegetal
* un trozo de cuerda fina

Esto es lo que tienes que hacer:

Pon el detergente o las escamas de jabón en el bol. Añade unas pocas gotas de colorante en el agua y ponla en el bol de las escamas. Mezcla con las manos el agua y las escamas hasta que se forme una masa. Échate una o dos gotas de aceite en las palmas de las manos y moldea el jabón como tú quieras. Une los extremos de la cuerda con un nudo y, con mucho cuidado, mételo dentro del jabón que has modelado. Deja que repose durante la noche... ¡y ya tienes tu medallón de jabón!

CUCHATÍTERES

Necesitas:
* cucharas de madera
* rotuladores
* trocitos de tela

* hilos de lana
* botones
* pegamento

Esto es lo que tienes que hacer:

Píntales ojos, nariz y boca a las cucharas. Recorta los trocitos de tela en forma de sombreros, vestidos, corbatas, etc., decóralos con botones y pégaselos a las cucharas. Hazles melenas, o trenzas, o tupés, o moños con los hilos de lana y pégaselos también. ¡Puedes formar una gran colección de *cuchatíteres* distintos!

PAISAJE NEVADO

Necesitas:

* un tarro de cristal o de plástico transparente con la boca ancha y con tapa que se cierre a rosca

* una cucharadita de lavavajillas incoloro
* dos cucharaditas de purpurina (blanca o de colores)
* pegamento resistente al agua
* pequeños objetos para pegar en el fondo del tarro: conchas marinas, piedrecitas, canicas, muñequitos de plástico..., ¡los que se te ocurran!

Esto es lo que tienes que hacer:

Limpia el tarro y sécalo muy bien. Pega los objetos que hayas elegido en el fondo y espera a que se seque el pegamento. Una vez seco, añade la purpurina y la cucharada de lavavajillas. A continuación, llena el tarro de agua hasta el tope y cierra la tapa con todas tus fuerzas (si quieres, puedes decorarla también). Dale la vuelta al tarro, vuelve a ponerlo rápidamente derecho... ¡y verás cómo nieva dentro de él!

Índice

DESCUBRE EL SECRETO MÁGICO DE KatieKazoo

n.° 1: Un día horrible en el cole

n.° 2: La guerra del comedor

n.° 3: El increíble bebé parlante

n.° 4: Chicos contra chicas

n.° 5: ¡Odio las normas!

n.° 6: Peligro en el campamento

KatieKazoo